CACHORROS ADORABLES

Nancy Dickmann

QEB

Quarto is the authority on a wide range of topics.
Quarto educates, entertains and enriches the lives of
our readers—enthusiasts and lovers of hands-on living.
www.quartoknows.com

Editora: Harriet Stone
Diseñador: Grand Union Design

Publicado en los Estados Unidos
por QEB Publishing, Inc
6 Orchard, Lake Forest, CA 92630

Información disponible sobre el
registro CIP de la Biblioteca del
Congreso.

ISBN 978 1 91241 353 9

Impreso en Guangdong, China
CC052018

9 8 7 6 5 4 3 2 1

MIXTO
Papel procedente de
fuentes responsables
FSC® C008047
FSC
www.fsc.org

En los datos del cachorro
encontrarás información
sobre su tamaño, color
y otras características
de su raza.

Datos del cachorro

Color	Gris
Tamaño	Mediano
♥♥	✓✓✓✓
★★★	Aprende a abrir y cerrar puertas

Contenido

Airedale terrier

¡El cachorro de Airedale terrier está lleno de energía!

¡Me encanta cavar y explorar!

Datos del cachorro

Color	Negro y canela
Tamaño	Mediano
	✓✓✓✓
	Es la raza más grande de terrier

Los cachorros de Airedale son pequeños, fuertes y tienen mucha energía. Son inteligentes, leales y pueden aprender trucos. Les encanta jugar y correr contigo en el jardín.

Basset hound

Las patas cortas y la cara arrugada del basset hound le dan un aspecto divertido.

Aunque tenga la cara triste, ¡soy muy cariñoso!

Datos del cachorro

Color	Negro, canela y blanco
Tamaño	Mediano
🖤🖤	✓✓✓✓✓
⭐⭐⭐	Tiene un gran sentido del olfato

A estos cachorritos les encanta la compañía, ¡pero te pueden llenar de babas! Les gustan los paseos largos y olfatear todo mientras caminan con sus patitas cortas.

Beagle

Los cachorros de beagle son muy curiosos y les gusta explorar.

¡Siempre estoy listo para una nueva aventura!

Datos del cachorro

Color	Negro, canela y blanco	
Tamaño	Pequeño	
🖤🖤🖤	✓✓✓✓	
⭐⭐⭐	Es muy independiente	

Los beagle son saltarines y siempre están siguiendo un rastro. ¡Les encanta olfatear todo! Son muy activos y juguetones. Aúllan y dan ladridos para decirte que quieren compañía.

Boyero de berna

De cachorro parece pequeñito, pero cuando crece se hace enorme ¡y es adorable!

¡Me encanta jugar con los niños!

Datos del cachorro

Color	Negro, canela y blanco
Tamaño	Grande
♥♥♥	✓✓✓✓
★★★	Resiste muy bien el frío

No hay nada como acariciar el pelo suave de estos cachorritos. Son muy inteligentes y les gusta hacer feliz a la gente. ¡El boyero de Berna es un amigo para toda la vida!

11

bichón frisé

Este cachorrito blanco y suave es absolutamente irresistible.

¿Quieres jugar conmigo?

Datos del cachorro

Color	Blanco
Tamaño	Pequeño

✓✓✓✓

Al crecer se hace de color crema

A estos cachorros alegres y juguetones les gusta ser el centro de atención. Les encanta acurrucarse a tu lado, pero también les gusta jugar y correr al aire libre.

Bloodhound

¿Has perdido tu juguete preferido? ¡El bloodhound lo encontrará con su olfato!

¿A qué huele?

Datos del cachorro

Color	Negro y canela
Tamaño	Grande
♥♥	✓✓✓
★★★	Le gustan los paseos largos

Los bloodhound se criaron para ayudar a los cazadores a encontrar animales. Les gusta seguir el rastro. Sus arrugas y sus orejas caídas los hacen irresistibles ¡aunque te llenen de babas!

border collie

Desde cachorritos, los border collie están llenos de energía.

¿Jugamos a perseguirnos?

Datos del cachorro

Color Cualquiera

Tamaño Mediano

✓✓✓✓

Es famoso por sus miradas intensas

Los cachorros de border collie siempre tienen que estar ocupados. Si no tienen un rebaño cerca, ¡te guiarán a ti como si fueras una oveja! Con un border collie nunca te vas a aburrir.

Boston terrier

Estos perros son muy inteligentes, pero pueden ser un poco testarudos.

¡Estamos listos para la próxima aventura!

Datos del cachorro

Color	Negro o marrón y blanco
Tamaño	Pequeño
🖤🖤	✓✓✓✓
⭐⭐⭐	Pequeño pero resistente

Estos cachorritos de ojos grandes y marrones son adorables y muy cariñosos. Son curiosos, inteligentes ¡y suelen meterse en problemas!

Bóxer

Los cachorros de bóxer son traviesos
y rebosan energía.

Después de
jugar, ¡necesito,
una siesta!

Datos del cachorro

Color	Canela o atigrado, blanco y negro	
Tamaño	Grande	
🖤🖤🖤	✓✓✓	
★★★	De mayor se porta como un cachorro	

Estos cachorritos son inteligentes y les encanta jugar enérgicamente. No hay nada que más les guste que correr contigo en el jardín. Cuando se cansan, ¡es hora de acurrucarse a descansar!

Grifón de Bruselas

El grifón de Bruselas llama la atención por sus ojos grandes y sus bigotes.

¡Me gusta ser el jefe!

Datos del cachorro

Color	Negro, rojo, canela o mezcla
Tamaño	Pequeño
♥♥	✓✓
★★	Su pelaje puede ser suave o áspero

Estos cachorros son pequeños, pero tienen un gran personalidad. Ladran mucho. Les encanta estar con la gente, pero no les gustan los juegos bruscos.

Cavalier King Charles spaniel

Si te gusta que alguien te persiga por toda la casa, este el perro perfecto para ti.

¡Siempre estoy moviendo la colita!

Datos del cachorro

Color		Negro, canela y blanco
Tamaño		Pequeño
♥♥♡♡		✓✓✓✓✓
★★☆		Hay que cepillarlo con frecuencia

El pelaje de estos cachorros es suave y sedoso. A veces les gusta perseguir pájaros y conejos, pero también les encanta sentarse en tu regazo y que los acaricies.

Chihuahua

Los cachorros de chihuahua son pequeñitos, pero tienen una gran personalidad.

¡Me encanta jugar con otros cachorros!

Datos del cachorro

Color	Cualquiera
Tamaño	Pequeño
♥♥♥	✓✓✓✓
★★★	El pelaje puede ser corto o largo

Estos cachorros juguetones son muy listos ¡y les gusta ser los jefes! Tienen tanta energía que saltan por toda la casa y si les dejas ¡también saltarán encima de ti!

Chow chow

El pelaje grueso y mullido del chow chow hace que parezca un osito de peluche.

¡Soy el más suave!

Datos del cachorro

Color	Rojo, negro, crema, gris, canela
Tamaño	Mediano-grande
🖤🖤	✓✓
⭐⭐	Tiene la lengua azul o negra

Estos cachorros tardan un poco en coger confianza, pero cuando te conocen y les caes bien, son tus mejores amigos. Puedes ganártelos cepillando su pelo largo y suave.

Cocker spaniel

Sus ojos grandes y sus orejas suaves les dan un aspecto irresistible.

¡Quiero ser tu amigo!

Datos del cachorro

Color	Cualquiera	
Tamaño	Pequeño a mediano	
♥♥♡	✓✓✓✓	
★★★	Hay que cepillarlo con frecuencia	

A estos cachorros cariñosos les encanta jugar y correr. Cuando se cansan de correr, ¡están listos para acurrucarse en el sofá! Los cocker spaniel se suelen llevar bien con otros animales.

Corgi

Los cachorros de corgi tienen las patas cortas, pero pueden correr muy rápido.

¡Ladro a todo lo que vea!

Datos del cachorro

Color	Rojo, negro o canela con manchas blancas
Tamaño	Pequeño
♥♥	✓✓✓✓
★★★	La Reina de Inglaterra tiene corgis

Los cachorros nacen con las orejas caídas, pero se les paran pronto. A pesar de su tamaño, son muy valientes. ¡Se criaron para el pastoreo! Están llenos de energía y les encanta jugar.

Teckel

Las patas cortas y el cuerpo largo le dan al teckel un aspecto muy gracioso.

Datos del cachorro

Color	Cualquiera
Tamaño	Pequeño
♥♥♥	✓✓✓✓
★★★	El pelaje puede ser corto o largo

Los cachorros de teckel son simpáticos y curiosos, ¡pero a veces son muy testarudos! Son perros valientes y si hay alguien en la puerta, te avisarán con su ladrido profundo.

Dálmata

El cachorro de dálmata es divertido
¡y rebosa energía!

Datos del cachorro

Color	Blanco con manchas negras
Tamaño	Grande

Las crías son blancas al nacer

¡Me encanta hacer reír a la gente!

A estos cachorritos adorables les encanta salir a jugar al aire libre y hacer amigos. Les gusta jugar a la pelota. También les gusta aprender trucos ya que son muy listos y se aburren fácilmente.

pinscher miniatura

Los cachorros de dóberman pinscher miniatura son fuertes, elegantes y están llenos de energía.

¡Estoy listo para un buen abrazo!

Datos del cachorro

Color	Negro y canela
Tamaño	Grande
🖤🖤	✓✓✓✓
⭐⭐⭐	Le gusta pensar que es el jefe

Estos cachorros adorables y juguetones son inteligentes y fáciles de entrenar. Los dóberman se criaron como perros de guardia y desde que son cachorros piensan que su trabajo es protegerte.

Bulldog inglés

El bulldog es un perro muy tranquilo y le encanta tomar siestas en el sofá.

Datos del cachorro

Color	Cualquiera
Tamaño	Mediano
♥♥	✓✓✓✓
★★★	No le gusta el calor

¡Estoy listo para un buen abrazo!

Ya desde chiquitos, los bulldog tienen el cuerpo rechoncho y la cara arrugada. Les gustan los niños ¡y los gatos! Pero lo que más les gusta es acurrucarse contigo en el sofá.

Bulldog francés

El bulldog francés se reconoce por sus arrugas y sus orejas tipo murciélago.

Datos del cachorro

Color	Cualquiera
Tamaño	Pequeño
♥♥♥	✓✓✓✓
★★★	No le gusta estar solo

¡Me encanta "hablar" con la gente!

A estos cachorros juguetones les encanta seguirte. Son listos y pueden aprender trucos, pero también son testarudos. Les gusta quedarse en casa, pero ¡cuidado! ¡Se tiran muchos pedos!

Pastor alemán

Su pelaje grueso y mullido y las orejas caídas los hacen irresistibles.

Datos del cachorro

Color	Negro y crema o negro y rojo
Tamaño	Grande
♥♥♥	✓✓✓
★★★	De adulto se le paran las orejas

Estoy listo para jugar, ¿y tú?

Los cachorros de pastor alemán son muy inteligentes y les gusta estar ocupados. Si no tienen a nadie con quien jugar, se entretienen cavando o mordiendo. Les gusta saber lo que pasa y te siguen a todas partes.

Golden retriever

Al golden retriever le gusta ayudar y trabajar. Tiene un gran corazón.

Datos del cachorro

Color	Dorado o crema
Tamaño	Grande
♥♥♥	✓✓✓✓✓
★★★	Cariñoso y tranquilo

¡Me encanta dormir en sitios raros!

Estos cachorritos tienen la mirada dulce y el pelo sedoso. Adoran a las personas y harían cualquier cosa por estar con ellas y hacerlas felices. Un golden retriever es un gran amigo para toda la vida.

Gran danés

Los cachorros de gran danés son pequeños y adorables, ¡pero se hacen enormes!

¡Pronto seré muy grande!

Datos del cachorro

Color	Cualquiera
Tamaño	Grande
🖤🖤🤍🤍🤍	✓✓✓✓✓
⭐⭐⭐	Suelta muchas babas

Estos cachorros son muy juguetones. Sus grandes garras indican lo grandes que van a ser, pero aunque se hagan enormes, nunca dejan de ser dulces y cariñosos.

Setter irlandés

El elegante pelaje rojizo del setter irlandés llama la atención.

¡Estoy agotado de tanto jugar!

Datos del cachorro

Color	Marrón rojizo
Tamaño	Grande

Le encanta estar con la gente

Estos cachorritos rebosan energía y les encanta correr. Son perros muy inteligentes y les gusta estar ocupados. ¡Siempre están dispuestos a aprender un truco nuevo!

Jack Russell terrier

Con un cachorro de Jack Russell nunca te vas a aburrir.

Datos del cachorro

Color	Blanco con marrón, negro o crema
Tamaño	Pequeño
♥♥♥	✓✓✓✓
★★★	Le encanta cavar hoyos

¿En qué otro lío me puedo meter?

Los cachorros de Jack Russell son pequeños, pero muy valientes. Les encanta acompañarte a explorar el parque. Están llenos de energía y suelen ser bastante testarudos.

Labradoodle

¿Qué sale del cruce entre un labrador retriever y un caniche? ¡Un labradoodle!

Datos del cachorro

Color	Cualquiera
Tamaño	Grande
♥♥♥♡	✓✓✓✓
★★★	Apto para gente con alergias

¿Quieres jugar conmigo?

Estos adorables cachorros tienen la energía del labrador retriever y el pelo rizoso del caniche. Les gusta que los acaricies, ¡pero también quieren que juegues con ellos todo el tiempo!

Labrador retriever

Con esa carita dulce, no es de extrañar que los cachorros de labrador sean tan populares.

¿Todavía no es la hora de comer?

Datos del cachorro

Color	Negro, chocolate o amarillo
Tamaño	Mediano
🖤🖤	✓✓✓✓✓
⭐⭐⭐	Se entrenan como perros guía

Estos dulces cachorritos
son simpáticos, cariñosos
y rebosan energía.
Les encanta ayudar y
siempre están listos para
jugar. Son muy tragones y
si los dejaras, ¡se pasarían
el día comiendo!

Lhasa apso

Su mirada brillante y el pelaje suave hacen que este cachorro sea irresistible.

¡Un intruso! ¡Voy a ayudar!

Datos del cachorro

Color	Cualquiera
Tamaño	Pequeño
♥♥♥	✓✓✓
★★★	Los adultos tienen el pelo largo y liso

¡No te dejes engañar por su aspecto delicado! Los lhasa apso son buenos perros guardianes, ¡y desde cachorritos quieren proteger a sus dueños! Son valientes, divertidos y bastante independientes.

Newfoundland

Este cachorro de carácter dulce se ganará el corazón de cualquier familia.

Datos del cachorro

Color	Negro, marrón, gris o blanco y negro
Tamaño	Grande
♥♥♥	✓✓✓✓✓
★★★	Nada con sus dedos palmeados

¿Nos llevas a nadar?

Con su pelaje suave, estos cachorros parecen ositos de peluche. Les encantan las personas, en especial los niños, ¡pero sueltan muchas babas! Siempre están listos para dar largos paseos o ir a nadar.

Bobtail

Con un bobtail nunca te sentirás solo.

Datos del cachorro

Color	Gris o blanco y negro
Tamaño	Grande
♥♥♥	✓✓✓✓
★★★	Puede tener un ojo de cada color

¿Quieres ser mi amigo?

Estos cachorritos son dulces y divertidos. Les encanta jugar, sobre todo con los niños. Cuando crecen se hacen muy grandes y fuertes y tienen el pelaje largo y lanudo.

Papillón

El cachorro de papillón es muy divertido y está lleno de energía.

¿Alguien dijo "un paseo"?

Datos del cachorro

Color	Blanco con otros colores
Tamaño	Pequeño
♥♥♥	✓✓✓
★★★	Algunos tienen las orejas caídas

El nombre de estos cachorros adorables viene de la palabra "mariposa" en francés por el aspecto de sus orejas. Son pequeños, pero valientes. Les encanta que los acaricien.

Pequinés

Hay muy pocos perros que sean más suaves que el adorable pequinés.

¿Es la hora de hacerme mimos?

Datos del cachorro

Color	Cualquiera
Tamaño	Pequeño
♥♥	✓✓
★★★	Suele roncar cuando duerme

No te dejes engañar
por esa mirada tan
dulce. Los cachorros de
pequinés son valientes y
mandones. No les gustan
los juegos bruscos, pero
les encanta que los
acaricies y los mimes.

Pomerania

¿Será un cachorro o un pompón?
¡Con los pomerania es difícil saberlo!

Datos del cachorro

Color	Cualquiera
Tamaño	Pequeño
🖤🖤	✓✓✓
⭐⭐⭐	Puede cambiar de color al crecer

¡Con este abrigo nunca tengo frío!

A los cachorros de pomerania les encanta estar con la gente. Son inteligentes y siempre quieren saber lo que está pasando. Puedes enseñarles trucos o acurrucarte con ellos y acariciar su pelo suave.

Caniche

Correr, nadar, hacer trucos: ¡un cachorro de caniche puede aprender de todo!

¿Cuándo es la próxima aventura?

Datos del cachorro

Color	Cualquiera
Tamaño	Pequeño a mediano
♥♥♥	✓✓✓✓
★★★	Apto para gente con alergias

¡Estos cachorros inteligentes te mantendrán muy entretenido! Les encanta estar con la gente y aprender trucos y juegos nuevos. ¡Tendrás que esforzarte si quieres seguirles el ritmo!

Pug

Con esos ojos grandes y oscuros y esas arrugas, el cachorro de pug es irresistible.

Datos del cachorro

Color	Crema y negro
Tamaño	Pequeño

Suele tener la cola torcida

¿Quién quiere al cachorrito más dulce?

Los cachorros de pug tienen el cuerpo pequeño y una gran personalidad. Les gusta sentarse en tu regazo y seguirte a todas partes, ¡hasta a la cama! Sus ronquidos son encantadores.

Rottweiler

El cachorro de rottweiler siempre quiere jugar contigo ¡y protegerte!

Datos del cachorro

Color	Negro con manchas canela
Tamaño	Grande
♥♥	✓✓✓
★★★	Le encanta perseguir pelotas

¡Hazme cosquillas en la barriguita!

Estos cachorros son valientes y leales. Los adultos suelen trabajar como perros guardianes. Desde pequeños ladran a los desconocidos y protegen a su familia. A los cachorros les gusta jugar y hacer ejercicio.

Collie de pelo largo

Los collies son famosos por sus rescates y son unas mascotas increíbles.

¡Haría cualquier cosa por ti!

Datos del cachorro

Color	Negro, canela, gris y blanco
Tamaño	Grande
🖤🖤🖤	✓✓✓✓✓
⭐⭐⭐	Tiene una capa de pelo largo y otra de pelo corto

Los collies se criaron para el pastoreo ¡y lo hacen muy bien! Son leales, cariñosos y siempre están listos para jugar a atrapar cosas. Después de jugar, les gusta acurrucarse con su grueso pelaje.

San bernardo

El carácter tranquilo del San Bernardo hace que sea el compañero perfecto.

Datos del cachorro

Color	Blanco y marrón o rojo con negro
Tamaño	Grande
🖤🖤🖤	✓✓✓✓✓
⭐⭐⭐	Puede tener el pelo largo o corto

¡Vamos a casa a sentarnos juntos!

Los San Bernardo son famosos por rescatar a los montañeros. Aunque los cachorros no estén listos para las misiones de rescate, son tan buenos y cariñosos ¡que no te importará si te llenan de babas!

Samoyedo

¡No hay quien se resista a la sonrisa y el pelo suave del cachorro de samoyedo!

¡Sé que quieres acariciarme!

Datos del cachorro

Color	Blanco
Tamaño	Mediano a grande
♥♥	✓✓✓✓✓
★★★	Le encanta el frío

Los perros samoyedo se criaron para tirar de los trineos en la nieve y son muy fuertes desde cachorros. Les encanta ser parte de la familia, jugar y acurrucarse con su persona favorita. ¡Un samoyedo es un amigo para toda la vida!

Schnauzer

El cachorro de schnauzer es divertido y está lleno de energía.

¡He dicho que es la hora de salir a pasear!

Datos del cachorro

Color	Gris, negro y blanco	
Tamaño	Mediano	
♥♥♥	✓✓✓	
★★★	Los bigotes le crecen más de adulto	

Estos cachorros son inteligentes y fáciles de entrenar, aunque pueden ser testarudos y saben cómo conseguir todo lo que quieren. Les encanta jugar y dar largos paseos contigo.

Scottish terrier

Los scottish terrier son perros pequeños, pero leales y trabajadores.

¡No me llames bajito!

Datos del cachorro

Color	Negro, rojo, plateado o canela
Tamaño	Pequeño
🖤🖤🖤	✓✓✓
⭐⭐⭐	Se le paran las orejas a los pocos meses de edad

Con esas patitas tan cortas, los cachorros de scottish terrier no necesitan dar paseos largos. ¡Prefieren jugar a mordisquear o hacer hoyos en el jardín! Les encanta perseguir ardillas y otros animales pequeños.

Shar pei

¡No hay ningún otro cachorro que se parezca al shar pei!

¡Las arrugas son maravillosas!

Datos del cachorro

Color	Cualquiera
Tamaño	Mediano
♥♥	✓✓
★★★	Tiene la lengua azul o negra

Los sharp pei tienen arrugas desde que nacen. ¡Parecen perros grandes que han encogido al lavarlos! Son orgullosos y testarudos y piensan que su misión es protegerte.

Husky siberiano

De pequeño, el husky parece un cachorro de lobo, ¡y tiene un corazón salvaje!

Datos del cachorro

Color	Cualquiera
Tamaño	Grande
🖤🖤	✓✓✓
⭐⭐	Le encanta el frío

¡Me encanta jugar a las escondidas!

El husky es un perro leal e inteligente, al que le gusta estar ocupado. Se criaron para tirar de los trineos en la nieve y les gusta jugar en los días fríos. No suelen ladrar, ¡pero aúllan como los lobos!

Mastín tibetano

¡Los cachorros de mastín tibetano crecen y crecen hasta hacerse enormes!

¿Quién necesita un peluche cuando estoy yo aquí?

Datos del cachorro

Color	Negro, canela, gris, marrón o rojo
Tamaño	Grande
♥♥♥	✓✓✓
★★★	Le crece el pelo y se hace mullido

A estos cachorros suaves les gusta ir a su aire y a veces se olvidan de que tú eres el jefe. No les gustan los juegos bruscos ni los sonidos fuertes, pero son la compañía perfecta para un día frío de invierno.

Weimaraner

Los cachorros de weimaraner tienen el cuerpo estilizado de color plateado y los ojos azules.

¿Quieres descansar? ¡Nosotros no!

Datos del cachorro

Color	Gris
Tamaño	Mediano
	✓✓✓✓
	Aprende a abrir y cerrar puertas

¡Estos cachorros saltarines rebosan energía y siempre quieren estar en movimiento! Son inteligentes y hacen todo tipo de travesuras. Pero les encanta estar en familia y te seguirán a todas partes.

Yorkshire terrier

Los cachorritos de "yorkie" son tan lindos que derriten el corazón a cualquiera.

¡Yo soy el cachorrito más lindo del mundo!

Datos del cachorro

Color	Negro y canela o plateado y canela
Tamaño	Pequeño
🖤🖤	✓✓✓
⭐⭐⭐	Puede tener el pelo muy largo

¡Estas bolitas de pelo están convencidas de que son perros grandes! Los cachorros son valientes y ladran a otros perros más grandes que ellos. Les gusta perseguir pelotas y aprender trucos.